Klara & Theo

Ausgetrickst

Klara & Theo

Ausgetrickst

Langenscheidt

Berlin · München · Wien · Zürich
London · Madrid · New York · Warschau

Leichte Krimis
für Jugendliche in drei Stufen

Ausgetrickst
– mit Mini-CD

Stufe 2

© 2007 by Langenscheidt KG, Berlin und München
Druck und Bindung: Stürtz GmbH, Würzburg
ISBN 978-3-468-**47730**-0

11041

Die Hauptpersonen dieser Geschichte sind:

Einstein (Albert Neumann): 13 Jahre alt, Klasse 8b, ein Genie in Mathematik und am Computer. Er ist zwar nicht sportlich, aber dieses Mal muss er einen Kampf gewinnen.

Olli (Oliver Claasen): 14 Jahre alt, Klassensprecher der 8b. Seine Hobbys: Fußball, Inline-Skaten und Musik. Er ist verliebt und eifersüchtig. Und dann gibt es auch noch diesen Mathetest …

Jessica (Jessica Berger): 13 Jahre alt, die größte in der Klasse 8b. Sie ist gut in der Schule, reitet gern und sie ist in Olli verliebt. Aber das gefällt nicht allen.

Moon (Carla Nowek): 13 Jahre alt, Klasse 8b. Ihre Mutter kommt aus Korea. Auf Moon kann man sich verlassen. Sie zeigt allen, was gute Freundschaft ist.

Sascha (Alexander Kiesling): 14 Jahre alt und neu in der Klasse 8b. Er ist höflich und großzügig. Vor allem die Mädchen in der 8b mögen ihn. Er interessiert sich aber nur für eine.

Dr. Schmidt: Lehrer, seit zwei Jahren an der Schule. Er unterrichtet Mathematik und Biologie in der Klasse 8b. Er wirkt manchmal ein bisschen komisch und altmodisch, aber er ist nett und die Schüler und Schülerinnen mögen ihn.

1

„… und den Zettel steckst du unter das dritte Waschbecken von links."

„O.k., mach ich."

„Einstein, du weißt, der Mathe-Test ist lebenswichtig für mich. Wenn …"

„Ich weiß, Olli. Drittes Waschbecken von links. Versprochen."

Albert Neumann ist klein und ein bisschen dick. Aber in Mathematik und am Computer ist er ein Genie. In der Klasse 8b nennen ihn deshalb alle „Einstein".

Olli ist sein bester Freund.

Olli ist in der Schule nicht so gut. Sein größtes Problem ist Mathe. Er hat keine Zeit für die Schule, er hat einfach zu viele Hobbys: Fußball, Inline-Skaten und Musik. Und er spielt Saxofon in einer Band.

„Komm, es ist gleich acht."

„Na, gut. *Ave Schmidt, morituri te salutant*[1]!"

„Hey, seit wann sprichst du perfekt Latein?"

„Das ist der einzige Satz, den ich so fließend kann."

Beide lachen und gehen ins Klassenzimmer.

Die Klasse 8b schreibt heute einen Mathe-Test. Für Olli ist der Test sehr wichtig. Wenn er eine schlechte Note schreibt, muss er die Klasse vielleicht wiederholen.

„Guten Morgen, ich hoffe, ihr habt gut geschlafen. Ihr müsst euch keine Sorgen machen. Wenn ihr in den letzten Wochen aufgepasst habt, könnt ihr die Aufgaben spielend[2] lösen!"

Herr Schmidt unterrichtet Mathematik und Biologie. Er sieht ein bisschen komisch aus: wenig Haare, aber lang. Manchmal trägt er einen Bart. Herr Schmidt liebt Pop-Konzerte und einige Schüler aus der Klasse 8b sind ihm schon mal auf Konzerten begegnet: ihr Lehrer in Jeans, Hawaii-Hemd und Cowboy-Stiefeln! Aber das macht nichts. Herr Schmidt ist sehr nett und die Schüler mögen ihn.

„Siehst du, ich hab's dir doch gesagt, die Tests von Herrn Schmidt sind immer fair", flüstert Einstein Olli zu.

„Ja, ja. Aber es bleibt trotzdem dabei …"[3]

„So, ich verteile jetzt die Aufgaben und dann habt ihr 40 Minuten Zeit. Viel Glück!"

Herr Schmidt verteilt die Aufgabenblätter, dann setzt er sich ans Pult und liest eine Musikzeitschrift.

Nach etwa zwanzig Minuten meldet sich Einstein: „Entschuldigung, Herr Schmidt, kann ich mal auf die Toilette …"

„Albert, bist du schon fertig? Na, von mir aus." Einstein geht zum Pult und gibt seinen Test ab. Die Mitschüler schauen neidisch.

Dann geht er aus dem Klassenzimmer, zur Toilette.

„Eins, zwei, drei. Hier!" Einstein zählt die Waschbecken ab. Unter dem dritten Waschbecken versteckt
er einen Zettel mit allen Lösungen vom Mathetest.
Er wäscht sich die Hände und im Spiegel sieht er, wie
jemand die Toilettentür aufreißt und in eine Kabine
rennt.
Die Person murmelt: „Immer diese Aufregung bei
Tests …"

Einstein geht zurück ins Klassenzimmer. Im Vorbeigehen nickt er kurz zu Olli.
Ein paar Minuten später kommt auch Sascha zurück
ins Klassenzimmer.
„Wo war der denn?", Einstein wundert sich ein bisschen. Normalerweise darf nur einer raus.

„Herr Schmidt, ich muss auch mal." Die Klasse 8b
schaut zu Olli und lacht.
„Aber beeil dich bitte. Es sind nur noch zehn Minuten Zeit."
„Danke!", ruft Olli und flitzt[4] aus dem Klassenzimmer.

Die Minuten vergehen. Nervös sieht Einstein auf die
Uhr.
Endlich kommt Olli zurück. Er geht an der Bank vor-
bei und sieht Einstein nicht an.

2

„Und? Hat alles geklappt?"
Olli packt seine Sachen und reagiert nicht.
„Olli! He, Olli, warte mal!" Einstein ruft, aber Olli
geht schnell aus dem Klassenzimmer und dreht sich
nicht mal um.
„Was hat der denn?", fragt Moon.
„Keine Ahnung", sagt Einstein und blickt Olli ratlos
hinterher.

Moon heißt eigentlich Carla Nowek. Aber weil ihr Gesicht rund ist wie der Mond, nennen ihre Freunde aus der Klasse 8b sie Moon. Sie ruft:
„Olli, Freunden gibt man eine Antwort."

Da bleibt Olli stehen, dreht sich um und sagt:
„Freunden schon. Aber der Typ neben dir, der ist kein Freund."
Dann geht er in den Pausenhof.

„Oh je. Was hast du ihm denn getan?"
„Keine Ahnung! Ich habe mich beim Test extra beeilt, damit ich …"
„Ach, deshalb die Invasion auf der Herrentoilette?"
„Klar, alter Trick …"
„Aber diesmal hat er wohl nicht funktioniert?"
„Das verstehe ich nicht. Ich rede mit ihm."
Einstein holt sein Pausenbrot aus der Schultasche und geht aus dem Klassenzimmer.

Olli ist stinksauer[5] und man sieht es:
Er hat die Hände tief in den Hosentaschen und geht mit finsterer Miene[6] über den Pausenhof.
In einer Ecke stehen Jessica und Sascha.
Jessica ist die größte in der Klasse 8b. Sie ist gut in der Schule, reitet gern und sie mag Olli.
Sehr sogar …
Sascha ist neu in der Klasse 8b. Er heißt Alexander Kiesling. Aber er hat sich gleich allen Mitschülern als „Sascha" vorgestellt. Seine Eltern scheinen ziem-

lich reich zu sein. Jedenfalls trägt Sascha die teuersten Klamotten[7] in der Klasse. Er ist höflich und großzügig, und vor allem die Mädchen in der 8b mögen ihn.

„Und, Olli, alles klar? Hast du den Test geschafft?"
„Ach, hör auf! Ich will nicht mehr daran denken. Ich glaube, den hab ich total vergeigt[8] ..."
„Kommt, darauf trinken wir!", lacht Sascha und zieht aus seinem Rucksack drei Flaschen Cola. Eine gibt er Jessica, die andere Olli und die dritte öffnet er für sich selbst.
„Danke, Sascha."
„Na dann – Prost!" Die drei stoßen an.
„Und wir müssen morgen bitte Englisch lernen, Jessica. Die Englischnote ist meine letzte Hoffnung."
Dann sieht Olli, dass Einstein kommt.
„Oh nee, was will der denn hier? Das ist echt zu viel! Ich verschwinde lieber."
Olli geht schnell weg.

3

„Na, großer Meister der Zahlen! Mann, warst du schnell beim Mathetest! Respekt!"
„Was ist denn mit Olli los?"
„Tja, irgendwie habt ihr beide ein Problem, oder?"
Jessica sieht Einstein an. Sie ist sehr ernst.
„Ich dachte, ihr seid Freunde. Du weißt doch, wie wichtig der Mathetest für ihn ist!"
„Was soll das, Jessica? Warum schimpfst du mich denn so? Natürlich sind wir Freunde und ich habe extra …"
„Streitet euch doch nicht. Olli erholt sich schon wieder. Möchte jemand was Süßes?"
Sascha wühlt in seinem Rucksack und holt ein paar Schokoriegel heraus.
„Bitte!"
„Nein danke, ich such jetzt lieber Olli!"

„Aber du nimmst einen, oder lieber Kaugummi?"
„Du hast ja einen halben Kiosk in deinem Rucksack."
„Das ist ganz normal. Ich mag Süßigkeiten und du weißt ja: Kleine Geschenke erhalten die Freundschaft!"
Jessica nimmt einen Schokoriegel und lacht.
„Wie war eigentlich dein Mathetest, Sascha?"
„Ach, kein Problem! Weißt du, an unserer alten Schule waren wir schon viel weiter im Stoff. Für mich war der leicht. Aber um Olli mach ich mir echt Sorgen."

„Wirklich? Du kennst ihn doch noch gar nicht …"

„Nein, aber er ist ein cooler Typ und es wäre schade, wenn er nächstes Jahr nicht mehr in unserer Klasse wäre."

„Deshalb lernen wir ja zusammen für den Englischtest. Du hast ja gehört, seine letzte Chance …"

„Piep-piep!"

„Mein Handy! Eine SMS von Olli. Wir treffen uns morgen um vier."

„Hast du vorher noch Zeit für mich?"

„Wieso? Soll ich mit dir auch Englisch lernen?"

„Nein, du magst doch Pferde und reitest gern und meine Eltern möchten ein Pferd kaufen und …"

„Da bist du ja! Was ist denn los mit dir? Warum …"

„Mann, lass mich in Ruhe, du Feigling[9]!"

„Olli, bitte, …"
„Hast du mich nicht verstanden? Hau ab!"

Einstein nimmt sein Rad und geht aus dem Fahrradkeller.
Er schaut zurück. Olli blickt ihm wütend nach.

4

Am nächsten Tag.

„Wow, der ist ja geil[10]!"
„Hat unser Direktor im Lotto gewonnen?"
Die Schule ist aus und die Schülerinnen und Schüler, die das Haus verlassen, staunen über die nagelneue schwarze Limousine[11], die vor dem Schulhaus steht.
Auch die Klasse 8b hat Unterrichtsschluss.
Olli und Jessica gehen zusammen die Treppen hinunter.
„Bleibt es bei vier Uhr?"
„Klar, Olli."
„Kommst du, Jessica? Wir werden schon erwartet."
„Ja, Moment noch, Sascha. Tschüs, Olli, bis heute Nachmittag."
„Hey, wohin geht ihr beide denn?"
Aber Sascha zieht Jessica weg und führt sie zu dem großen Auto.

„Mademoiselle ...[12]" Sascha verbeugt sich vor Jessica, beide steigen ein und das Auto fährt langsam ab.

„Mademoiselle ...!"
Zwei Jungen aus einer 6. Klasse imitieren Sascha und alle lachen.
„Mit Chauffeur ist kein Weg schwer!", dichten andere.
Alle amüsieren sich. Nur Olli nicht. „Seine" Jessica – geht einfach weg ohne ein Wort. Er versteht die Welt nicht mehr.

Traurig läuft er zum Fahrradkeller.

„Hab ich was verpasst?"
Einstein sieht auf die leere Straße.
„Das kann man wohl sagen! Sascha und Jessica sind gerade in einem riesengroßen schwarzen Auto weggefahren."
„Und Olli?"
„Der fand das nicht witzig."
„Ich finde das auch nicht witzig", murmelt Einstein.
Er sucht Moon.

„Unser Sohn hat uns schon viel über dich erzählt."
„Hoffentlich nur Gutes!" Jessica ist etwas unsicher, aber sie lacht trotzdem.
„Aber natürlich! Alexander würde nie schlecht von Freunden sprechen."
Sie fahren zu einem Reiterhof außerhalb der Stadt.

„So, wir sind da!"
Der Wagen parkt vor einem großen Haus. Sehr vornehm.
„Wir müssen jetzt zu unserem Termin. Ihr könnt euch ja schon mal die Ställe ansehen. Ich schlage vor, in einer Stunde treffen wir uns hier wieder und dann gehen wir Eis essen."
„Entschuldigung, Herr Kiesling, ich muss um vier Uhr zurück sein und wir wollten doch noch Pferde ansehen. Ich dachte, Sascha …"
„Keine Sorge, Kindchen. Das schaffen wir leicht. Also bis später."
Frau Kiesling streichelt Jessicas Arm.
Jessica geht einen Schritt zur Seite. Zwei Dinge kann sie nicht ausstehen[13]: Wenn man sie „Kindchen" nennt und wenn fremde Menschen sie anfassen.

„Komm, ich zeige dir die Ställe."
Jessica gefällt der Ausflug nicht. Sie fühlt sich nicht wohl hier. Außerdem hat sie ein schlechtes Gewissen.
„Es war falsch, dass ich Olli nichts erzählt habe …",
denkt sie.

„Cool hier, oder?" Sascha strahlt.

„Ich weiß nicht. – Gehört das alles euch?", fragt Jessica.

„Nein, das hier nicht. Meine Eltern haben zwar ziemlich viel Geld, aber der Reiterhof gehört Freunden. Alles sehr teuer hier und viele Prominente aus Film und Fernsehen ..."

Sascha geht ihr ein bisschen auf die Nerven mit seiner Angeberei[14]. „Du weißt, ich muss um vier Uhr zurück sein. Ich hab's Olli versprochen!"

„Ja, ja. Komm jetzt und vergiss den Blödmann."

5

Olli liest die SMS zum zehnten Mal.

Er ist traurig und wütend. Wütend auf sich und seine dumme Antwort:

„Amüsiert euch nur, ich komme allein zurecht[15]. Ich brauche dich nicht und niemanden – und morgen habe ich keine Zeit! O."

18

„Vielleicht gibt es für alles eine ganz einfache Erklärung. Aber warum hat sie nicht gesagt, dass sie mit Sascha und seinen Eltern wegfährt? Jetzt ist sie bestimmt sauer. Im Moment läuft wirklich alles schief.[16] Zuerst der blöde Mathetest. Mein bester Freund lässt mich einfach hängen[17] und versteckt die Lösungen nicht. Obwohl er es versprochen hat. So ein Feigling!

Und jetzt lässt mich Jessica auch noch im Stich. Kutschiert[18] lieber in einem fetten Auto[19] durch die Gegend. Mit Sascha.

Und eben hab ich auch noch Moon beleidigt. Sie wollte mich doch nur zu einem Konzert einladen.

‚Ich höre keine Babymusik!‘ Das war nicht fair. Mann, bin ich ein Idiot.

Und morgen gibt es den Test zurück. Bestimmt ’ne Sechs.“

6

Herr Schmidt gibt den Mathe-Test zurück:

„Oliver, deine Lösungswege sind zwar sehr umständlich, aber du hast dich wirklich bemüht und deshalb eine Vier!"

Olli nimmt den Test und ist sprachlos. Eine Vier!!! Und ganz alleine geschafft! Dabei hatte er fest mit einer Sechs gerechnet. Dann ist das Schuljahr vielleicht doch gerettet?

„Albert, du warst einfach viel zu schnell. Warum hast du dir nicht mehr Zeit gelassen? Leichtsinnige Fehler und deshalb …"

Einstein spaziert über den Pausenhof. Er möchte Olli zu der Note gratulieren, aber er sieht ihn nirgends. Er geht zu Jessica und Moon.

„‚Ich höre keine Babymusik', hat er gesagt. Dabei wollte ich ihn nur einladen, damit er auf andere Gedanken kommt. Aber seine Mathe-Note freut mich. Ob er das Schuljahr wohl schafft?"

„Hallo! Habt ihr Olli gesehen?"

„Nein, er ist wie vom Erdboden verschluckt[20]! Vielleicht kauft er dir eine Cola …"

Die beiden Mädchen lachen.

„Wieso?"

„Du hast ihm doch geholfen, oder? Hast du nicht die Lösungen auf der Toilette versteckt?"

„Schon, aber ihr habt doch gehört, was Herr Schmidt

gesagt hat. Olli hat eigene Lösungen gefunden … . Und ich habe dumme Leichtsinnsfehler gemacht …"
„Genau wie Sascha! Er hat auch dumme Leichtsinnsfehler gemacht. Herr Schmidt hat auf seine Arbeit geschrieben: Schade um die gute Note – zu viele Leichtsinnsfehler. Ihr müsst wissen, Sascha war an seiner alten Schule im Mathe-Stoff schon viel weiter. Er hat mit einer Eins gerechnet …"

Einstein hört Jessica nicht mehr zu. Er denkt an den Mathe-Test.
Als er den Zettel versteckt hat, ist jemand in die Toilette gerannt und hat gesagt „Immer diese Aufregung bei Tests." – Klar, das war Sascha! Hat er den Lösungszettel gefunden? Ist Olli deshalb so sauer, weil kein Zettel mehr da war, als er zur Toilette gegangen ist?
Einstein denkt angestrengt nach.

„Da bist du ja!"
„Was willst du denn hier?"
„Super Mathenote! Gratuliere! Ja – und dann möchte ich mich entschuldigen wegen gestern … Eigentlich wollten wir nur ein Pferd ansehen, aber dann wollte Jessica den ganzen Reiterhof anschauen und das hat gedauert und gedauert – du weißt ja, wie Mädchen sind …"
„Und ich dachte schon … Na ja. O.k."
„Freunde halten doch zusammen!"
„Eigentlich ist Einstein an allem schuld!"

„Was, der Dicke?"

„Er wollte mir beim Mathetest helfen. Aber er war wohl zu feige – und ich war so sauer, dass ich alle beleidigt habe. Erst Jessica und dann auch noch Moon. Kannst du Moon vielleicht diesen Brief von mir geben? Im Moment ist mir das ein bisschen …"

„Klar, kein Problem. Gib her, ich liefere ihn ab, diskret und zuverlässig!"

7

Sascha liest den Brief und wirft ihn in den Papierkorb neben der Turnhalle. Im gleichen Moment kommt Einstein die Treppe runter. Als er Sascha sieht, wartet er. Er sieht, dass Sascha etwas in den Papierkorb wirft.

„Hey, Moon! Warte bitte einen Moment!"

„Was gibt es denn, Sascha?"

„Ich habe eine Nachricht für dich. Von Olli."

„Ach! Und warum kommt er nicht selber?"

„Du weißt doch, unser Freund ist zurzeit auf dem Kriegspfad[21]."

„Das hab ich gemerkt. Und? Was sollst du mir sagen?"

Sascha holt tief Luft. „Also, die Geschichte mit dem Konzert …"

„Will Olli jetzt doch mitkommen?"

„Nein, er kommt nicht mit. Aber ich, ich komme gerne mit!"

„Du? Na ja, – wenn du willst. Meinetwegen. Ich wollte Einstein fragen, aber …"

„Was? Den Dicken – der …"

„Nenn ihn nicht so! – Ich glaube, ich gehe doch lieber mit Einstein." Moon ist sehr ernst.

„O.k, o.k., entschuldige bitte", sagt Sascha schnell.

Olli radelt nach Hause. „Vielleicht wird doch noch alles gut", denkt er. „Mathe geschafft, ganz allein, ein neuer Freund, den Ärger mit Jessica geklärt, bei Moon entschuldigt, jetzt bleibt nur noch der Englisch-Test." Darauf will er sich jetzt voll konzentrieren.

Oh, was ist das? Einstein wartet vor Ollis Haus.
„Was willst du denn hier? Feigling!"
„Ich will dich warnen."
„Ach, vor dir?"
„Olli, red doch nicht so einen Quatsch! Nein, vor deinem neuen Freund. Sascha."
„Hau ab, Einstein! Du bist doch nur eifersüchtig, weil du bald keine Freunde mehr hast. Aber wer will schon mit einem Feigling befreundet sein."
„Gut, Olli. Aber eines musst du mir noch sagen: Warum bist du so sauer auf mich?"
„Das fragst du noch? Du hast mich im Mathetest

total hängen lassen! Du wolltest mir die Lösungen auf der Toilette verstecken und hast dich nicht getraut. Es war dir völlig egal, ob ich wegen Mathe das Schuljahr wiederholen muss. Und das will ein Freund sein? Nein, danke!"

„Vielleicht hat ja dein neuer Freund meinen Zettel gefunden …"

„Jetzt reicht es, Blödmann! Verschwinde endlich, sonst …"

„… auf jeden Fall hat dein neuer Freund etwas verloren …"

Einstein gibt Olli den Brief aus dem Mülleimer.

8

„So ein Mistkerl[22]! Und ich habe ihm vertraut. Und ihn zu Moon geschickt. Na warte!"

„Halt, halt, nichts überstürzen. Sagst du Jessica Bescheid? Ich übernehme Moon. Wir treffen uns alle um vier bei mir. "

„Heute Nachmittag geht eigentlich nicht, ich muss doch Englisch lernen …"

„No problem! We'll speak only English when we meet this afternoon."[23]

„Ladies and gentlemen! Welcome to our meeting. We will speak English this afternoon to help our friend Olli. He needs an extra English lesson. Any suggestions for a plot against Sascha? "[24]

„Was heißt ‚plot'?"

„Komplott."

Die vier Freunde diskutieren. Olli ist wütend und möchte Sascha am liebsten verprügeln. Jessica findet, Sascha soll eine Chance bekommen und ihnen alles erklären. Die Unterhaltung ist nicht leicht. Sie sprechen wirklich Englisch.

„Ich habe eine bessere Idee. *We will set a trap for him!* "[25]

„*Trap?* Was heißt das?"

„Olli, denk mal nach. Du kennst das Wort."

„Nein! Nie gehört. *Trap*, was soll das bedeuten?"

„Kennst du ein Wort, in dem ‚*trap*' vorkommt?"

26

„Klar! Trappatoni! Italienischer Fußballtrainer. "
„Oh Mann, Olli …"
„Ich hab's! Trapper! Hm, ein Trapper ist ein Fallen-steller und *trap* bedeutet dann wohl Falle, oder?"
„Super! Herr Schmidt hat recht: Deine Lösungswege sind umständlich …"

„… aber erfolgreich!"
Moon und Einstein sind in der Werkstatt neben dem Kaninchenstall.
„Und? Funktioniert es?"
„Ich glaube schon."
„Und wo willst du die Falle aufstellen?"
„Genau da, wo ich letztes Mal die Lösungen für Olli versteckt habe. Wenn Sascha den Zettel da geklaut hat, wird er in die Falle gehen. Wenn nicht, passiert ihm nichts."
„Klick!!!!"

„Oh, ganz schön heftig! Das tut bestimmt weh?"
„Hoffentlich! Saschas miese Spiele[26] haben auch wehgetan!"

„… heute steckst du den Zettel aber wirklich unters Waschbecken. Ich rede nie mehr ein Wort mit dir, wenn …"

„Ja, Olli, versprochen!"

Olli und Einstein gehen in das Klassenzimmer. Sascha geht hinter ihnen. Sie reden so laut, dass er sie hören kann.

Die Klasse 8b schreibt den Englisch-Test. Nach etwa zwanzig Minuten meldet sich Einstein:

„Entschuldigung, kann ich mal auf die Toilette?"

Die Lehrerin nickt.

Nach ein paar Minuten kommt er zurück ins Klassenzimmer. Im Vorbeigehen nickt er kurz zu Olli.

Im gleichen Augenblick meldet sich Sascha.

„Entschuldigung, kann ich auch mal schnell auf die Toilette?"

Die Lehrerin nickt und er läuft aus dem Klassenzimmer.

Die Minuten vergehen. Sascha kommt nicht zurück.

Die Englischstunde ist fast zu Ende.

„Olli, du bist doch der Klassensprecher?"

„Ja!"

„Kannst du mal nachsehen, wo Sascha ist?"

„Vielleicht findet er das Klo nicht!"

„Oder er ist in die Toilette gefallen …"

„… und ertrunken!"

Alle lachen und machen Witze.

Da kommt Sascha ins Klassenzimmer. Er hat geweint, seine Augen sind ganz rot. Um die rechte Hand hat er Toilettenpapier gewickelt. Zwei Finger sind ganz dick.

„Aua! Dem hat aber jemand heftig auf die Finger geklopft!"

„Das heißt: *Someone has given him a rap on the knuckles*!"

„Sag ich doch!"

The end
ENDE

Landeskundliche Anmerkungen / Glossar

[1] Original: „Ave Cäsar, morituri te salutant": lateinisch, „Heil dir, Cäsar, die Todgeweihten grüßen dich" – Gruß der Gladiatoren beim Einzug in die Arena

[2] *spielend*: hier: ohne Probleme, ohne Schwierigkeiten

[3] „*Es bleibt dabei*": ohne Änderung, wie besprochen/vereinbart

[4] *flitzen*: sehr schnell rennen

[5] *stinksauer*: sehr wütend

[6] „*mit finsterer Miene*": Redewendung, wenn man sagen möchte, dass jemand wütend, böse oder unheimlich aussieht

[7] *die Klamotten*: Kleider

[8] *etwas vergeigen*: etwas nicht gut machen oder mit vielen Fehlern machen, hier: den Mathetest

[9] *der Feigling*: jemand, der keinen Mut hat oder sehr ängstlich ist

[10] *geil*: hier = super, toll, vor allem Jugendsprache

[11] *die Limousine*: ein großes, schönes, komfortables und oft teures und luxuriöses Auto

[12] *Mademoiselle*: französisch, Anrede für Fräulein

[13] *etwas nicht ausstehen können*: etwas überhaupt nicht mögen

[14] *die Angeberei*: Wichtigtuerei, Prahlerei

[15] *„ich komme (allein) zurecht"*: Ich brauche keine Hilfe, ich schaffe das allein.

[16] *alles läuft schief*: nichts funktioniert, alles kommt anders als geplant oder erwartet

[17] *jemanden hängen lassen*: jemandem nicht helfen, auch: jemanden im Stich lassen

[18] *kutschieren*: herumfahren

[19] *ein fettes Auto*: hier: ein sehr teures, luxuriöses Auto

[20] *„Er ist wie vom Erdboden verschluckt"*: Er ist verschwunden, niemand weiß, wo er ist.

[21] *auf dem Kriegspfad sein*: hier: wenn man mit vielen Leuten gleichzeitig Streit beginnt

[22] *der Mistkerl*: Schimpfwort, ein sehr unangenehmer, schlechter Mensch (maskulin)

[23] *„No problem! We'll speak only English when we meet this afternoon."* = Kein Problem! Wir werden nur Englisch sprechen, wenn wir uns am Nachmittag treffen.

[24] *„Ladies and gentlemen!"* …: Meine Damen und Herren. Willkommen bei unserem Treffen. Wir

werden diesen Nachmittag Englisch sprechen, um unserem Freund Olli zu helfen. Er braucht eine zusätzliche Englisch-Stunde. Gibt es irgendwelche Vorschläge für ein Komplott gegen Sascha?

[25] *„We will set a trap for him."*: Wir werden ihm eine Falle stellen.

[26] *ein mieses Spiel*: ein schlechtes, falsches Spiel, die Intrige

Aufgaben, Übungen und Tests

A. Zu Kapitel 1

1. Warum soll Einstein Olli beim Mathetest helfen? Formuliere drei Aussagen.

   Einstein ist   .

   Für Olli ist   .

   Wenn Olli   .

2. Wie soll er Olli helfen?

   Er soll ....

B. Zu Kapitel 2

1. Olli ist sauer. Was ist passiert? Sammle Ideen.

2. Es gibt einen neuen Schüler in der Klasse 8b. Was weißt du noch von ihm?

Alter? ....

Aussehen? ....

Eigenschaften? ....

....

....

C. Zu Kapitel 3

Was passt zusammen? Ordne zu.

1. Jessica schimpft   a. Olli cool.

2. Sascha hat viele   b. mit Einstein.

3. Kleine Geschenke   c. mit Olli verabredet.

4. Für Sascha   d. Süßigkeiten im Rucksack.

5. Sascha findet   e. erhalten die Freundschaft.

6. Jessica ist   f. war der Test leicht.

D. Zu Kapitel 4

Richtig oder falsch? Kreuze an.

	R	F
1. Der Direktor hat im Lotto gewonnen.	☐	☐
2. Das große schwarze Auto gehört Sascha.	☐	☐
3. Jessica fährt mit Sascha weg.	☐	☐
4. Olli ist traurig.	☐	☐
5. Jessica findet Saschas Mutter sehr nett.	☐	☐
6. Jessica gefällt der Ausflug nicht.	☐	☐
7. Der Reiterhof gehört Saschas Eltern.	☐	☐

E. Zu Kapitel 5

1. Olli ist traurig und wütend. Warum? Lies noch einmal Kapitel 5 und fasse zusammen.

Jessica ...   Einstein ...   Mathetest ...

Moon ...   alles ...

2. Stell dir vor, du bist Ollis Freund/Freundin. Wie hilfst du ihm?

3. Was machst du, wenn du traurig bist?

Wenn ich traurig bin,

oder   . Manchmal   .

Und   , das hilft auch.

F. Zu Kapitel 6

Einstein weiß immer noch nicht, warum Olli so sauer ist. Aber er hat einen Verdacht. Welchen? Warum?

G. Zu Kapitel 7

Beantworte die Fragen.

1. Was macht Sascha mit dem Brief?

   Er

2. Welche falsche Information gibt er Moon?

3. Was schlägt er Moon vor?

4. Wie reagiert Moon?

   ----

5. Was macht Einstein?

H. Zu Kapitel 8

Lies noch einmal die beiden letzten Abschnitte von Kapitel 8. Wie wollen die vier Freunde Sascha eine Falle stellen? Sammle Ideen.

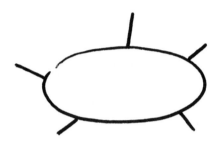

I. Zu Kapitel 9

Was ist für dich ein guter Freund / eine gute Freundin?

Ein guter Freund / eine gute Freundin

Übersicht über die in dieser Reihe erschienenen Bände: